Le cognac

Le cognac

par Martell

Chêne / Hachette

Le temps

Certains voudraient prendre la mesure du temps, mais le temps n'a pas de mesure.

Ce qui importe, c'est de l'avoir, ce bien le plus précieux en ce monde.

Martell s'est donné les moyens de le perdre avec l'art de le prendre.

Le temps d'un cognac Martell ?

C'est parcourir à pas comptés les chemins millénaires tracés à travers les vignes, faire halte aux carrefours des saisons, recueillir l'expérience généreuse de la terre et des hommes de Charente, élever et transmettre cette eau-de-vie unique, dans toute son harmonieuse plénitude.

Le temps d'un cognac Martell ?

Ces pages vous le content à travers le savoir-faire trois fois séculaire des hommes de la Maison Martell, qui préparent aujourd'hui le cognac de nos petits-enfants.

Lorsque le Romain anonyme de César apporta de Méditerranée
en territoire Santon la manière de récolter le sel
et planta la première vigne, il créait sans le savoir le pays du cognac.
Deux mille ans d'une étonnante continuité
sur ce qui allait bientôt devenir les «trois pays» d'Angoumois,
de Saintonge et d'Aunis.
Peu de places fortes, mais la plus admirable et la plus dense
collection au monde d'églises romanes constituée
du XIᵉ au XIIIᵉ siècle.
Pays ouvert, où le souvenir de l'invasion arabe s'inscrit encore
aux cintres des portails, où l'on rencontre des «Maurin»
et des «Sarrazin» que l'on prénomme toujours James ou Harris,
rappelant qu'ici le Moyen Age était anglais.

Dès l'an mille, on commerçait.
Débarquèrent les premiers ceux de Hollande, de Norvège venus
chercher le sel.
Et puis avec ceux de la Hanse et de Flandre, on prit aussi le vin.
Henri III y prenait le sien pour sa Cour de Londres,
lui qui avait hérité de la terre de Cognac de sa mère, Aliénor d'Aquitaine.
La réputation des vins de Charente et leur commerce allèrent
toujours croissant. Tellement que le pouvoir central
dans sa sollicitude, le chargeant d'impôts et de droits excessifs,
finit par en rendre la vente difficile.
Ce vin se conservait mal. Pour ne pas le perdre, on eut l'idée
de le distiller : c'est ainsi que vers l'an 1600 naquit le cognac.
En un siècle, il devait conquérir l'Europe.

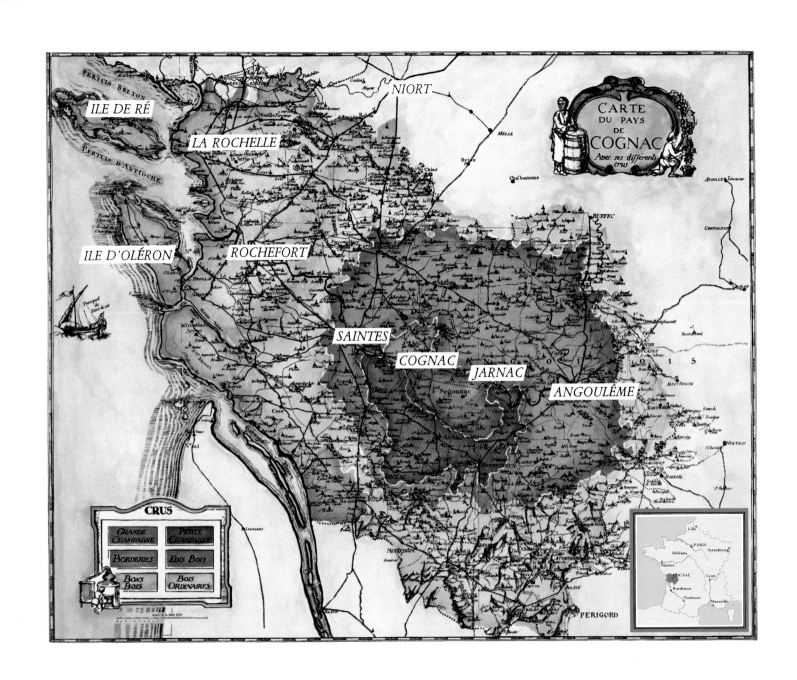

ILE DE RÉ

LA ROCHELLE

ILE D'OLÉRON

ROCHEFORT

NIORT

CARTE
DU PAYS
DE
COGNAC
Avec ses différents crus

SAINTES

COGNAC

JARNAC

ANGOULÊME

CRUS

GRANDE CHAMPAGNE	PETITE CHAMPAGNE
BORDERIES	FINS BOIS
BONS BOIS	BOIS ORDINAIRES

Lille
PARIS
Orléans
Strasbourg
Nantes
COGNAC
Lyon
Bordeaux
Toulouse
Marseille

Le décret du 1ᵉʳ mai 1909 a définitivement fixé la région
du cognac, telle qu'elle existait par tradition depuis trois siècles,
constituée par les anciennes provinces d'Angoumois,
de Saintonge et d'Aunis, devenues départements de Charente
et Charente-Maritime.

Une subdivision en sept crus reconnaît
les différences des eaux-de-vie de cognac. Martell n'utilise
que les plus fines : Grande et Petite Champagne,
les rares Borderies et les Fins Bois.

Au début du XVIIIᵉ siècle, le cognac était devenu l'une des boissons
les plus populaires d'Angleterre. Son négoce s'organise.
Un matin de 1715
(l'année de la mort de Louis XIV, le Roi-Soleil)
un jeune homme entreprenant débarque de Jersey. Il a vingt ans.
Il s'appelle Jean Martell.

Puisqu'il faut bien commencer,
c'est dans ce modeste bâtiment, «La Coquille», aujourd'hui
cerné par les Etablissements Martell,
que débute Jean Martell, et il épouse Mlle Rachel Lallemand,
fille d'une vieille famille établie à Cognac depuis 1507.

Il sélectionne ses premières barriques en fin dégustateur,
conduit leur vieillissement,
négocie avec bonheur et laisse à ses deux fils,
Jean et Frédéric, qui instaurent la raison sociale
«J. & F. Martell», un établissement prospère qui traite
avec quasiment toute l'Europe.

Sous Napoléon 1ᵉʳ,
«J. & F. Martell» représente déjà la plus forte
maison de la place, se jouant du blocus continental, commerçant
pour le compte de Hambourg, de Lübeck, de Brême,
d'où les marchandises sont réexpédiées.

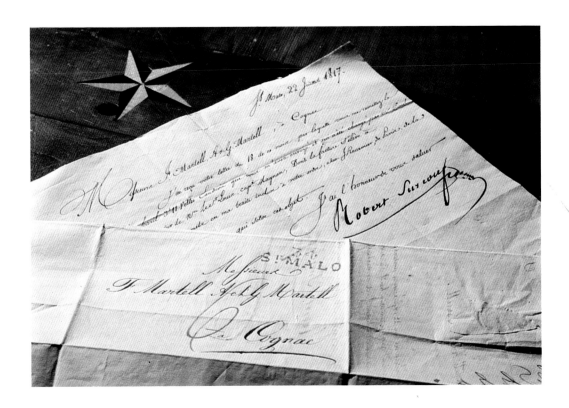

Une lettre du préfet de la Charente, datée de 1809, atteste
de l'hégémonie de Martell, reconnu «premier des négociants
en cognac». Il le restera.
Princes ou marchands, banquiers ou corsaires,
il n'est plus de frontières de conditions ou de langages,
la réputation des eaux-de-vie de Martell
devient universelle.

*D*EPUIS 1715, HUIT GÉNÉRATIONS
D'UNE MÊME FAMILLE ÉCRIVENT
SANS INTERRUPTION L'HISTOIRE
EXEMPLAIRE DU COGNAC MARTELL.

Le temps
des vendanges

Entre des horizons de coteaux opulents,
la vigne s'étend en rangs bien ordonnés. C'est ici que mûrissent
les grappes des seuls cépages blancs
autorisés en cognac : la Folle-Blanche,
le Colombard et l'Ugni Blanc.

Dans les meilleurs crus,
la Grande Champagne, la Petite Champagne,
les Borderies, les Fins Bois, 2 500 viticulteurs réservent leur récolte
à Martell, qui possède également ses propres vignobles.

Le raisin a mûri dans le silence ardent de l'été.
Lorsque vient l'automne, c'est le temps des vendanges.
Les vignes s'animent.
C'est une fête à laquelle participent toutes les générations.
C'est la récolte d'une année de travail et de soins.

Les raisins lourds et dorés croulent dans les tombereaux
qui les acheminent aux pressoirs pour en tirer
ce vin léger en degré, au fruité légèrement acide,
qui convient si parfaitement au cognac.

Le vin est fait.
Les grands peupliers perdent leur feuillage.
Les premières gelées teintent de roux les vignes abandonnées
où, seuls, quelques oiseaux viennent glaner
les graines oubliées.

Bientôt les travaux de l'hiver s'annoncent
aux fumées blanches et légères qui montent dans l'air froid.
On brûle les sarments que l'on taille pied après pied,
lentement, avec soin, préparant
la prochaine récolte.

A TRAVERS SES VIGNOBLES, MARTELL VIT PAS A PAS L'AVENTURE DU COGNAC.

Le temps
de la distillation

Automne finissant, vin fermenté, les chaudières s'allument.
De novembre à avril, c'est le temps de la distillation.
Martell possède ou contrôle seize distilleries
essaimées dans les quatre meilleurs crus.
Dix-huit autres distillent pour son compte
et également sous son contrôle.
La distillation charentaise en deux temps et à feu nu, procédé
invariable depuis le XVIᵉ siècle, est une opération délicate
qui obéit à des règles strictes.

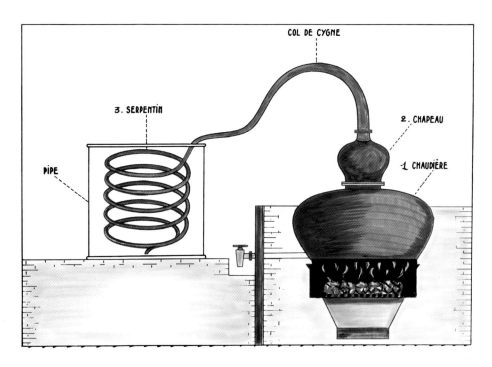

L'alambic est d'une simplicité extrême. Tout de cuivre rouge,
il ne comporte que trois éléments :
1. La chaudière en forme d'oignon, où le vin est porté à ébullition ;
2. Le chapiteau prolongé du col-de-cygne, où passent
les vapeurs d'alcool ;
3. Le réfrigérant contenant le serpentin, à l'extrémité duquel on
recueille l'eau-de-vie après condensation des vapeurs.

Une première distillation donne un produit de faible degré :
le «brouilli». Repassé dans la chaudière,
il se transforme en cognac, c'est la «bonne chauffe».

Les distillateurs de Martell sont les héritiers d'un savoir-faire
que les pères transmettent aux fils. Nuit et jour,
le distillateur surveille la marche de sa chaudière.
Lorsque coule le jet tiède de la «bonne chauffe», il doit
être fin dégustateur, afin de séparer en début

et en fin de chauffe la «tête» et la «queue» qui contiennent
les produits imparfaits, pour ne recueillir que le «cœur».
La nuance est fugitive : ce savoir-faire est un art.

La «bonne chauffe» réussie, c'est le cognac. Au parfum pénétrant
et subtil, titrant 70°, ce n'est encore qu'une
eau-de-vie incolore et limpide comme l'eau de roche.
Il faut alors que s'accomplisse le mystère patient du vieillissement.

*D*ANS SES PROPRES DISTILLERIES,
MARTELL PERPÉTUE L'ART CHARENTAIS
DE LA DOUBLE CHAUFFE.

Le temps
de la patience

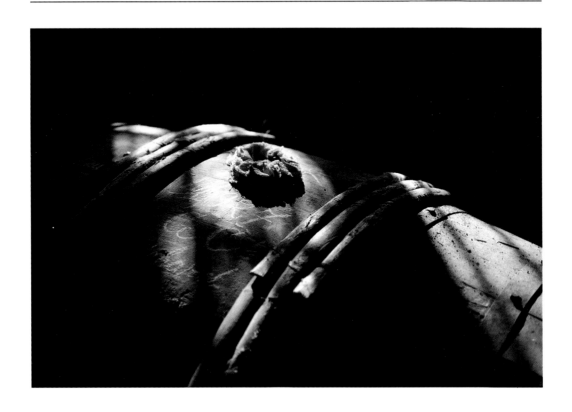

I. *Le vieillissement*

Logée en barrique de chêne, la bonne chauffe quitte la distillerie
pour entrer au chai de vieillissement.
Le mystère va s'accomplir dans la pénombre
et le recueillement : un long travail au cours de longues années
où peu à peu, au contact du chêne, l'eau-de-vie limpide

se transforme, s'adoucit, acquiert son moelleux et son bouquet,
avec sa belle couleur d'or ambré.
L'eau-de-vie perd de sa teneur en alcool et de son volume.
Cette évaporation indispensable représente annuellement
chez Martell l'équivalent de deux millions de bouteilles ;
les Charentais, philosophes et poètes, l'appellent
« la part des anges ».

Quelque 144 000 barriques, patrimoine fabuleux, attendent
ainsi dans les immenses chais Martell que vienne l'heure
de sortir de leur retraite.

Chez Martell, on «élève» le cognac.
Le cognac prend son temps : parfois plusieurs générations
d'hommes avant d'atteindre sa perfection.
Tout au long de sa retraite, il sera accompagné,
surveillé, par des dégustateurs attentifs.

II. *La barrique*

La qualité d'un cognac est le fruit du contact intime
de l'eau-de-vie et du bois, c'est dire l'importance primordiale
de ce dernier. Fidèle à son souci de perfection,
Martell fabrique ses propres barriques à partir de bois
que ses spécialistes vont eux-mêmes
choisir en forêt : les meilleurs chênes, ceux du Limousin et surtout

ceux de la forêt de Tronçais, que Colbert planta
pour la construction des vaisseaux du roi.
Des troncs fendus et non sciés pour éviter d'en abîmer le fil,
on tire ces «douelles» qui vont attendre en plein air
pendant cinq ans au moins. Passé ce délai
que Martell exige pour une siccité complète,
elles rejoindront la tonnellerie.

Chez Martell, ni machines, ni pointes, ni colle.
Il est merveille d'admirer ces ouvriers-tonneliers,
héritiers des anciennes méthodes, assembler les douelles
pour obtenir «au coup d'œil»,
ne se trompant guère de plus d'un litre, une barrique
de 270 ou de 350 litres, les contenances traditionnelles du cognac.

Et, en artiste qu'il est, le tonnelier parachève son œuvre de sa signature.

*D*ANS SES CHAIS, MARTELL
S'OBLIGE A MAINTENIR EN RÉSERVE
L'ÉQUIVALENT DE 95 MILLIONS
DE BOUTEILLES.
CHAQUE ANNÉE, PLUS DE 16 000 BARRIQUES
SONT FABRIQUÉES ET ENTRETENUES
DANS SA PROPRE TONNELLERIE.

Le temps
des mariages

Nul cognac de quelque cru qu'il provienne,
nul millésime ne cumule en soi toutes les qualités.
Seul leur assemblage, leur « mariage » peut atteindre
à la perfection recherchée.
Ainsi donc, lorsqu'un cognac arrive à un vieillissement suffisant,
vient le temps de le marier à d'autres.

Chez Martell, entouré de ses assistants,
un homme doué d'une mémoire olfactive et gustative
quasi infaillible détient la clé de ces mariages :
le maître de chais. Son inspiration remonte à huit générations.
A chaque mariage, recréer le goût Martell
est une recherche nouvelle et difficile. Aucun cognac
n'est identique. Chaque fois il faut savoir composer, construire,
équilibrer.

Grande et Petite Champagne lui donnent charpente et puissance.
Les Fins Bois le tempèrent de leur rondeur et les Borderies
lui prêtent charme et esprit de finesse.
Leur moment venu, ces cognacs sont conduits, du chai
où ils attendent cette heure depuis leur naissance, jusqu'au
plancher du mariage.

Versés dans les grands foudres, ils y sont assemblés,
puis, cérémonie terminée, remis en barriques à leur
nouvelle identité (★★★, VSOP, CORDON BLEU, EXTRA...),
ils regagnent leur retraite.

*L*A CONTINUITÉ DU GOÛT
MARTELL REPOSE SUR L'HÉRÉDITÉ,
LA MÉMOIRE, LE NEZ, LA PERSONNALITÉ
D'UN HOMME : LE MAÎTRE DE CHAIS.

Encore un long temps s'écoulera dans les chais silencieux.

Surveillés attentivement jusqu'au jour où, ayant enfin atteint leur plénitude...

les cognacs Martell prendront la route de la mise en bouteilles...

pour recevoir leur habillage et faire leur entrée dans le monde.

Le temps
de Martell

Notre monde ne compte pas moins de cent quarante pays,
chacun conservant ses coutumes singulières,
ses produits particuliers.
Beaucoup ne vont guère au-delà de leurs frontières.

Cependant, quelques-uns atteignent à l'universalité,
non par un jeu du hasard
mais par la juste renommée d'une qualité exceptionnelle.
Martell est du nombre.

Cent quarante pays l'accueillent, reconnaissent son indiscutable notoriété avec, souvent, des modes de consommation différents.

Car si la dégustation dans un petit verre réjouit l'odorat et le goût du connaisseur, il est bien d'autres façons d'apprécier un cognac Martell :

- les Anglo-Saxons le consomment à toute heure de la journée,
- les Scandinaves à l'apéritif,
- les Chinois au cours du repas.

Martell « on the rocks », sur la glace, stimule et remonte. Étendu d'eau gazeuse, de tonic ou de ginger-ale, il constitue le meilleur des rafraîchissements. Coupé d'eau chaude, additionné de sucre, c'est un excellent grog. Sa finesse en fait la base de nombreux et célèbres cocktails. En grande cuisine, il est l'allié irrem-plaçable pour la réussite de mets raffinés.

Quelle que soit la manière dont il est consommé, les mérites du cognac Martell restent les mêmes : les plus hauts.

Ils sont le fruit irremplaçable d'une profonde complicité entre une nature généreuse et cet inimitable « savoir-faire Martell », aboutissement de trois siècles de patience et de passion.

Ont collaboré à cet ouvrage :
Michel Danglade
Michel Goneau
Christine Dodos

Les photographies sont de
Alain Danvers

Cet ouvrage a été achevé d'imprimer
le 4 mai 1984
sur les presses de l'imprimerie Attinger
à Neuchâtel, Suisse.

Photogravure : Atesa Argraf, Genève.

Imprimé en Suisse.

ISBN : 2.85108.354.6
Dépôt légal : 8594 - juin 1984
34.0519.8